HABLA SIN ACENTO

¡Hablarás como un americano en tiempo récord!

Habla Sin Acento
© 2006 TRIALTEA USA LLC
ISBN 0-9778295-3-7

Elaboración de contenidos:
Corporate Language Partner - Patricia I. Lucanera

Derechos exclusivos:

TRIALTEA USA
GRUPO **ADI**

P.O. Box 454402
Miami, FL 33245-4402
Tel. 1-800-210-0344
info@ingles100dias.com
www.ingles100dias.com

Impreso en Estados Unidos

INDICE

INDICE

INDICE

INDICE

INDICE

ENTONACIÓN

Acentuación de sílabas

Acentuación de palabras en una frase

El tono de voz

Conexión entre las palabras

Reducción de sonidos

ANTES DE EMPEZAR

El curso *Habla sin acento* fue creado para ayudarte a mejorar la pronunciación y el acento del inglés americano. Es un curso enteramente pensado para hablantes de español y se centra en las dificultades que nos encontramos quienes hablamos ese idioma a la hora de comunicarnos y entender el inglés americano tal cual se escucha en la calle, en la televisión, en la radio o en el trabajo.

El objetivo principal de quienes estudian un idioma es lograr comunicarse con fluidez y entender a los hablantes nativos. Para ello, resulta imprescindible estudiar y conocer en profundidad los sonidos del idioma que estamos estudiando.

Cuando intentamos pronunciar un idioma que no es el nuestro, lo hacemos imitando los sonidos que escuchamos o creemos escuchar. Esta imitación no siempre nos da buenos resultados, sobre todo con los sonidos que son diferentes o que no existen en nuestra lengua materna. Para que logres vencer esta dificultad, te explicaremos de manera amena y comprensible los sonidos del inglés

ANTES DE EMPEZAR

americano. También te ayudaremos a comprender la diferencia que existe entre la manera en que se escriben las palabras (*spelling*=ortografía) y la manera en que se pronuncian (*pronunciation*=pronunciación).

La pronunciación es uno de los aspectos más importantes que debes tener en cuenta para lograr una mejor comunicación, pero no el único. Hay otro aspecto que tiene la misma importancia cuando quieres comunicarte: la entonación, es decir, la "música" de cada idioma que lo hace diferente de los demás.

Conocer los sonidos, pronunciarlos de la manera correcta y conocer los aspectos relacionados con la mejora del acento te ayudarán no solo a expresarte mejor sino a entender mucho más a los hablantes nativos.

El curso está organizado de la siguiente manera:

ANTES DE EMPEZAR

1- Descripción de símbolos que se usan en el curso.

2- ¿Cómo producimos los sonidos? Nociones de fonología.

3- ¿Cuáles son los sonidos del inglés americano? Pronunciación.

- 41 módulos en los que aprenderás a pronunciar los 17 sonidos de vocales y los 24 sonidos de las consonantes del inglés americano. A su vez, cada módulo está organizado de esta manera:

- Presentación del sonido.

- Ejemplos de palabras de uso corriente que se pronuncian con ese sonido.

- Similitud con algún sonido en español. Ejemplos.

- Explicación de los sonidos que no existen en español. Cómo pronunciarlos.

- Cómo se escriben las palabras que se pronuncian con ese sonido.

ANTES DE EMPEZAR

4- ¿Cómo puedo mejorar mi acento? Entonación.

- Acentuación de sílabas en una palabra.
- Acentuación de palabras en una frase.
- El tono de voz.
- Conexión entre palabras.
- Reducción de sonidos.

5- Consejos prácticos para hablantes de español.

Espero que encuentres este curso muy útil y que te sirva para dar ese paso final en el dominio del inglés que es, una vez aprendido el idioma, pronunciarlo adecuadamente.

Con cariño,

Daniela Vives
Universidad del Inglés

SÍMBOLOS QUE USAREMOS EN EL CURSO

SÍMBOLOS QUE USAREMOS EN EL CURSO

Los símbolos que usaremos han sido adaptados para que puedas entenderlos con facilidad. Debes leerlos antes de comenzar este curso para comprender mejor las explicaciones.

Empleamos estos grupos de signos:

1- Comillas

Las comillas "" indican letras. Se refieren a las letras del abecedario. Por ejemplo:

"a"   "i"   "j"

2- Corchetes

Los corchetes [ ] indican sonidos. Se refieren a cómo se pronuncia un sonido. Por ejemplo:

[a:]   [i:]   [j]

SÍMBOLOS QUE USAREMOS EN EL CURSO

3- Corchetes

La **negrita** indica sonidos que se pronuncian con más fuerza o sonoridad. Por ejemplo:

[z] sonido sordo, las cuerdas vocales no vibran.

[**z**] sonido sonoro, las cuerdas vocales vibran.

4- Los dos puntos

Los usamos con las vocales para indicar que se debe alargar el sonido. Por ejemplo:

e: i: o:

[i] como en sit (sit)

[i:] como en seat (si:t)

SÍMBOLOS QUE USAREMOS EN EL CURSO

5- Paréntesis

Los paréntesis ( ) encierran la pronunciación de una palabra. Por ejemplo:

early (**é**:rli)   day (**d**éi)   you (yu:)

6- Acento gráfico

El acento gráfico (´) nos indica que una sílaba es acentuada. Recordemos que en inglés no existe el acento gráfico.

Lo usamos en este curso en la trascripción de la pronunciación de una palabra para indicar cuál es la sílaba acentuada.

Por ejemplo:

parking (pá:rking)

ago (egóu)

enjoy (in**sh**ói)

DEFINICIÓN DE PALABRAS QUE USAREMOS EN EL CURSO

DEFINICIÓN DE PALABRAS QUE USAREMOS EN EL CURSO

Estas son las definiciones de las palabras que usaremos en el curso

- Vocales:

Son las letras a, e, i, o, u.

- Consonantes:

Son las letras b, c, d, f, g, h, j, k, l, m, n, p, q, r, s, t, v, w, x, y, z

- Diptongo:

Es la combinación de dos vocales. En inglés existen los siguientes diptongos:

[au]   [ai]   [ei]   [ou]   [oi]

DEFINICIÓN DE PALABRAS QUE USAREMOS EN EL CURSO

- Sílaba:

Son las partes en que puede ser dividida una palabra. En inglés se determinan según la pronunciación de la palabra, no la ortografía, como en español.

Cuando no sepas cuántas sílabas tiene una palabra, debes recurrir a un buen diccionario de inglés. La separación de las sílabas se marca con puntos.

late (léit) ----------------------- una sílaba

birthday (be:rz.dei) ------------ dos sílabas

wonderful (wán.de:r.fel) ------ tres sílabas

- Sílaba acentuada:

Es la sílaba que suena con más fuerza que las demás, y se marca con el acento gráfico.

(néim)   (wénz.dei)   (vésh.te.bel)

DEFINICIÓN DE PALABRAS QUE USAREMOS EN EL CURSO

- Monosílabo:

Es una palabra que tiene una sola sílaba que va siempre acentuada. Por eso no colocaremos acento gráfico en ellos, excepto que se pronuncien con un diptongo.

send (s**e**nd)   six (siks)   why (wái)

NOCIONES DE FONOLOGÍA

¿Cómo producimos los sonidos?

NOCIONES DE FONOLOGÍA

Para que podamos entender mejor cómo se producen los sonidos y aprender a pronunciar correctamente aquellos que nos resultan más difíciles, es necesario que tengamos una idea general sobre cómo se produce la voz y que órganos intervienen.

La producción de la voz

Durante la respiración, el aire que proviene de los pulmones pasa por la tráquea y llega a la laringe, donde se encuentran las cuerdas vocales. Las cuerdas vocales son dos pequeños músculos situados uno enfrente del otro, que al abrirse y cerrarse, permiten o bloquean el paso del aire.

La velocidad con que se expulsa el aire hace que las cuerdas vocales vibren y se produzcan sonidos. El sonido producido en las cuerdas vocales es muy débil y necesita ser amplificado. Parte de la garganta, la boca y la cavidad nasal forman la caja de resonancia que hace posible dicha amplificación. Estos sonidos primarios que se producen en la laringe son modificados, a su vez, por otros órganos.

NOCIONES DE FONOLOGÍA

Los seres humanos tenemos un gran dominio sobre los músculos que intervienen en la producción de la voz. Al moverlos en distintas direcciones, cambia la forma de la boca y se producen, entonces, diferentes sonidos. Este proceso se llama articulación, y en él participan los siguientes órganos:

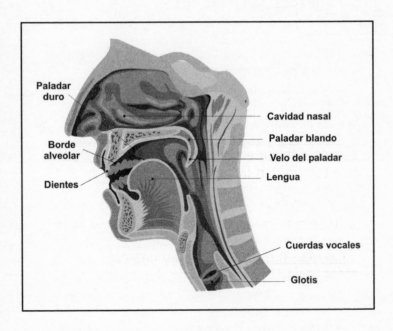

NOCIONES DE FONOLOGÍA

- **Lengua:** su posición es importantísima para lograr una articulación correcta.

- **Paladar:** es la parte superior interna de la boca. Está divido en dos partes:

  - **Paladar blando:** puede ser movido y bloquear la cavidad nasal, impidiendo que pase el aire hacia la nariz.

  - **Paladar duro:** no se mueve y participa pasivamente en el proceso.

- **Velo del paladar:** es un tejido colgante y blando situado en la parte trasera del paladar, que termina en la campanilla. Cuando se pronuncia [k], por ejemplo, la parte posterior de la lengua toca el velo.

- **Cavidad nasal:** actúa como una caja de resonancia.

- **Dientes:** son partes fundamentales en el proceso de articulación.

NOCIONES DE FONOLOGÍA

- **Borde alveolar:** es la parte posterior de la encía superior, donde se apoya la lengua para pronunciar, por ejemplo, la "n".

- **Cuerdas vocales:** son bandas membranosas ubicadas en la laringe por medio de las cuales se produce la voz.

- **Glotis:** es la apertura entre las cuerdas vocales inferiores.

Los sonidos se diferencian unos de otros según los órganos que participan en su articulación, el punto de articulación y el modo de articulación.

1- Características determinadas por los órganos que participan en la articulación del sonido. Se aplica a las vocales y a las consonantes.

- **Sonidos sonoros:** Son sonidos que se producen cuando vibran las cuerdas vocales.

Son sonoras todas las vocales y las consonantes [b], [**d**], [g], [z], [v], [d], [**sh**], [*sh*], [m], [n], [ng], [l], [r], [y] y [w].

NOCIONES DE FONOLOGÍA

Te sugerimos que hagas una prueba muy simple pero efectiva para sentir cómo vibran las cuerdas vocales: pronuncia estas vocales alargando el sonido de cada una y apoya una mano sobre la garganta.

aaaaaaaaaa eeeeeeeeee iiiiiiiiiiiiiiiiiiii

- **Sonidos sordos:** Son sonidos que no se producen por la vibración de las cuerdas vocales. Son sordas las consonantes [p], [t], [k], [s], [f], [z], [sh], [j], [ch] y [h].

Puedes repetir la prueba pronunciando ahora estas consonantes y comprobarás que no hay vibración:

p   t   s

2- Características determinadas por el punto de articulación. Se aplica solo a las consonantes.

- **Bilabiales:** se articulan por el contacto de ambos labios, como en el caso de [b],[p], [m] y [w].

NOCIONES DE FONOLOGÍA

- **Labiodentales:** se articulan por el contacto de los dientes superiores con el labio inferior, como en el caso de [f] y [v].

- **Interdentales:** se articulan colocando la lengua entre los dientes superiores, como en el caso de [d] y [z].

- **Alveolares:** se articulan por el contacto de la punta de la lengua con la región alveolar del paladar, como en el caso de [t], [d], [s], [z], [n], [l] y [r].

- **Palatales:** se articulan por el contacto de la lengua con el paladar duro, como en el caso de [sh], [sh], [ch], [sh] y [y].

- **Velares:** se articulan por el contacto de la parte posterior de la lengua con el paladar blando, como en el caso de [k], [g] y [ng].

- **Glotal:** el aire pasa por la glotis para pronunciar el sonido [h].

NOCIONES DE FONOLOGÍA

3- Características determinadas por el modo de articulación. Se aplica solo a las consonantes.

- **Oclusivas:** hay un bloqueo total momentáneo del paso del aire, que finalmente sale con una aspiración, como sucede con [p], [b], [t], [d], [k] y [g].

- **Fricativas:** hay un estrechamiento por donde pasa el aire rozando, como sucede con [f], [v], [z], [d], [s], [z], [sh], [sh] y [h].

- **Africadas:** se bloquea el paso del aire, que después sale por un estrechamiento, como sucede con [sh], [ch].

- **Laterales:** el aire pasa rozando los costados de la lengua, como sucede con [l] y [r].

- **Nasales:** el paso del sonido por la boca se bloquea, pero sigue su curso por la nariz, como sucede con [m], [n], [ng].

- **Deslizadas:** el aire no encuentra obstrucción en la boca, como en el caso de [w] y [y].

PRONUNCIACIÓN

¿Cuáles son los sonidos del inglés americano?

PRONUNCIACIÓN

Los sonidos de las vocales

Los símbolos de la izquierda representan los sonidos que estudiaremos. En aquellos casos en que existe un sonido similar en español, lo hemos incluido para que te sirva de referencia.

Símbolos	Palabras en las que aparece el sonido	Sonido similar en español
[a]	bus-month	-
[a:]	car- shop	taza-allá
[æ]	cab-back	-
[e]	end-heavy	el-ese
[e]	arrive- seven	-
[e:]	bird-learn	-
[e:]	dollar-never	-
[i:]	we-please	así-ahí
[i]	six-live	-
[o:]	four-store	-
[u:]	who-cool	usa-mucho
[u]	book-would	-
[au]	town-house	Paula-auto
[ai]	time-price	caiga-hay
[ei]	say-late	aceite-ley
[ou]	boat-grow	-
[oi]	voice-boy	voy-oigo

PRONUNCIACIÓN

Los sonidos de las consonantes

Símbolos	Palabras en las que aparece el sonido	Sonido similar en español
[b]	big, job	timbre-cambio
[d]	door-window	mandar-dólar
[d]	this-mother	boda-ruido
[f]	feel-offer	fácil-fe
[g]	great-flag	tengo-gusto
[j]	hello-head	mujer-gente
[k]	coffee-lake	cama-kilo
[l]	let-tell	luz-mal
[m]	man-room	mesa-toma
[n]	next-money	antes-nuez
[ng]	bring-angry	vengo-manga
[p]	park-stop	pensar-limpiar
[r]	river-four	pare-cara
[s]	send-also	siempre-solo
[t]	tall-rest	tú-atar
[v]	visit-movie	-
[w]	win-went	huir-hueso
[y]	young-lawyer	hielo-allí
[z]	zoo-zero	-
[z]	think- birthday	zona-hace
[sh]	ship-Spanish	yo - ya
[sh]	June-jacket	-
[sh]	usual-pleasure	-
[ch]	cheese-beach	hacha-ancho

PRIMERA PARTE

Sonido de vocales y diptongos

SONIDO 1

como en **bus** (b**a**s)

Fíjate en la pronunciación de estas palabras:

sun (s**a**n) sol

uncle (**á**nkl) tío

love (l**a**v) amor

[**a**]

[**a**] no existe en español y puede resultar difícil de pronunciar. Es un sonido corto y rápido. Debes pronunciarlo separando apenas los labios con la lengua relajada en el medio de la boca.

SONIDO 1

[a] como en **bus** (bas)

El sonido [a] lo escucharás siempre en sílabas acentuadas de palabras que se escriban con estas letras:

"o"

other (**á**de:r) otro
c**o**me (k**á**m) venir
m**o**nth (m**á**nz) mes

"ou"

en**ou**gh (in**á**f) suficiente

c**ou**ntry (k**á**ntri) país

tr**ou**ble (tr**á**bl) problemas

"oo" en estos casos

fl**oo**d (fl**a**d) inundación

bl**oo**d (bl**a**d) sangre

"u"

f**u**n (f**a**n) diversión

m**u**ch (m**a**ch) mucho

l**u**ck (l**a**k) suerte

"oe" en estos casos

d**oe**s (d**a**z)
d**oe**sn't (d**a**znt)

SONIDO 2

[a:]

como en **car** (ka:r)

Fíjate en la pronunciación de estas palabras:

st**a**r (sta:r) estrella

w**a**llet (wá:let) billetera

sh**o**p (sha:p) tienda

[a:]

[a:] se pronuncia como la "á" acentuada en español, en palabras como *allá* y *taza*. Debes pronunciarlo con los labios totalmente abiertos, y la lengua sobre el piso de la boca.

SONIDO 2

[a:] como en **car** (ka:r)

El sonido [a:] lo escucharás en palabras que se escriban, por lo general, con estas letras:

"a" seguida de "r" en una sílaba acentuada

bar (ba:r) bar

March (ma:rch) marzo

start (sta:rt) comenzar

"a" seguida de "w"

jaw (**sh**a:w) mandíbula

law (la:) ley

saw (sa:) vio

"a" seguida de "wn"

dawn (**d**a:n) amanecer

lawn (la:n) césped

yawn (ja:n) bostezar

"au"

da**u**ghter (dá:re:r) hija

beca**u**se (bi:ká:z) porque

la**u**ndry (la:ndri) ropa sucia

Tips de aprendizaje

SIMBOLOS · Los dos puntos

Los usamos con las vocales para indicar que se debe alargar el sonido. Por ejemplo: e: i: o:

[i] como en sit (sit)
[i:] como en seat (si:t)

SONIDO 2

*[a:] como en **car** (ka:r)*

El sonido [a:] lo escucharás en
palabras que se escriban, por lo general,
con estas letras:

"a" seguida de "lk", "ll" y "lt"

w**alk** (wa:k)
caminar

c**all** (ka:l) llamada

s**alt** (sa:lt) sal

"o" seguida de "u"

f**ou**ght (fa:t)
luchó

th**ou**ght (za:t)
pensó

b**ou**ght (ba:t)
compró

"o" seguida de "b", "d", "g", "p", "t" o "ck"

j**ob** (sh**a**:b)
trabajo

odd (**a**:d) extraño

f**og** (fa:g) niebla

t**op** (ta:p) parte
superior

h**ot** (ha:t) caluroso

l**ock** (la:k) cerrojo

"o" seguida de "ff", "ng" y "ss" en sílabas acentuadas

offer (a:fe:r)
ofrecer

l**ong** (la:ng) largo

a**cross** (ekrá:s)
a través

SONIDO 3

[æ]

como en **back** (bæk)

[æ]

[æ] no existe en español. Es una mezcla de "a" y "e". Debes separar los labios como si estuvieras sonriendo y mantener la lengua cerca del piso de la boca.

Fíjate en la pronunciación de estas palabras:

c**a**b (kæb) taxi

h**a**nd (jænd) mano

ask (æsk) preguntar

SONIDO 3

[æ] como en **back** (bæk)

El sonido [æ] lo escucharás en palabras que se escriban, por lo general, con estas letras:

"a" seguida de una consonante en una sílaba acentuada:

apple (æpel) manzana
l**as**t (læst) último
pl**an** (plæn) plan

"au" en estos casos:

l**au**gh (læf) reir

l**au**ghter (læfte:r) risa

SONIDO 4

[e]

como en **end**
(end)

[e]

[e] es similar al sonido de "e" en español, como en las palabras *techo* y *bebé*, aunque más corto y rápido. Los labios están levemente abiertos hacia los costados, y la lengua está en el medio de la boca.

Fíjate en la pronunciación de estas palabras:

s**e**ll (s**e**l) vender

r**e**nt (r**e**nt) alquilar

h**e**lp (j**e**lp) ayudar

SONIDO 4

*[e] como en **end** (en**d**)*

El sonido [e] lo escucharás palabras que se escriban con:

"e" en una sílaba acentuada delante de una consonante	"are" al final	"gue" al comienzo de sílaba
		guest (gést) huésped guess (gés) adivinar 
ten (ten) diez well (wel) bien next (nékst) próximo	care (kér) cuidado fare (fér) tarifa share (shér) compartir	

"ea" seguida de "d" en estos casos

already (a:lrédi) ya

◀ ready (rédi) listo

steady (stédi) constante

SONIDO 4

[e] como en **end** (**e**nd)

El sonido [e] lo escucharás palabras que se escriban con:

"ai" en estos casos	"a" en estos casos	"ie" en esta palabra
ag**ai**n (eg**é**n) nuevamente	**a**ny (**é**ni) algunos	
ag**ai**nst (eg**é**nst) contra	m**a**ny (m**é**ni) muchos	
s**ai**d (s**e**d) dijo		

fri**e**nd (fr**é**nd) amigo

Tips de aprendizaje

SIMBOLOS · Negrita

La **negrita** indica sonidos que se pronuncian con más fuerza o sonoridad. Por ejemplo:
[z] sonido sordo, las cuerdas vocales no vibran.
[**z**] sonido sonoro, las cuerdas vocales vibran.

SONIDO 5

[e]

como en **excellent**
(**é**kselent)

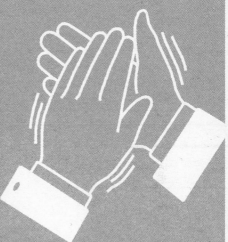

**Fíjate en la pronunciación
de estas palabras:**

arrive (er**á**iv) llegar

l**e**mon (l**é**men) limón

sev**e**n (s**é**ven) siete

[e]

[e] no existe en español. Es el sonido que tienen la gran mayoría de las vocales en inglés cuando no están acentuadas. Es un sonido muy rápido y corto. Al pronunciarlo, tus labios deben estar relajados.

SONIDO 5

*[e] como en **excellent** (ékselent)*

El sonido [e] lo escucharás en palabras que se escriban, por lo general, con estas letras:

"a" en una sílaba no acentuada	"i" en una sílaba no acentuada	"o" en una sílaba no acentuada
ago (egóu) atrás	cous**i**n (kázen) primo	
sign**a**l (sígnel) señal		
past**a** (pa:ste) pasta	hab**i**t (jǽbit) hábito	sec**o**nd (sékend) segundo
	cap**i**tal (kǽpirel) capital	contr**o**l (kentróul) control
		t**o**morrow (temó:rou) mañana

"e" en una sílaba no acentuada	"u" en una sílaba no acentuada
op**e**n (óupen) abrir	 ◄ **su**rprise (serpráis) sorpresa
trav**e**l (trǽvel) viajar	s**u**ggest (seshést) sugerir
nec**e**ssary (néseseri) necesario	col**u**mn (ká:lem) columna

SONIDO 5

[e] como en **excellent** (ékselent)

El sonido [e] lo escucharás en
palabras que se escriban, por lo general,
con estas letras:

"ion" al final

reg**ion** (ri:**sh**n)
región

nat**ion** (néishn)
nación

popula**tion**
(pa:pyu:léishn)
población

"ous" al final

fam**ous** (féimes)
famoso

nerv**ous**(nérves)
nervioso

ridicul**ous**
(ridikyules)
ridículo

Para recordar: [e] debe omitirse en las terminaciones

"cally"

musi**cally** (myu:zikli)
musicalmente ▶

automati**cally**
(a:remǽtikli)
automáticamente

specifi**cally** (spesífikli)
específicamente

"able", "ible"

unbeliev**able**
(**a**nbili:vebl)
increíble

accept**able**
(ekséptebl)
aceptable

incred**ible**
◀ (inkrédibl) increíble

SONIDO 6

[e:]

como en **learn** (le:rn)

[e:]

[**e:**] no existe en español, pero no resulta difícil de pronunciar. Los labios deben estar levemente abiertos y proyectados hacia adelante, y la lengua debe estar tensa en el medio de la boca.

Fíjate en la pronunciación de estas palabras:

*ea*rly (**é**:rli) temprano

s*i*r (s**e**:r) señor

pref*er* (prif**é**:r) preferir

SONIDO 6

[e:] como en **learn** (le:rn)

El sonido [e:] lo escucharás en palabras que se escriban, por lo general, con estas letras:

"e" seguida de "r" en una sílaba acentuada

p**é**rson (p**e:**rsen)
persona

t**e**rm (t**e:**rm)
período

dess**e**rt (diz**é:**rt)
postre

"ea"

earn (**e:**rn) ganar

early (**e:**rli)
temprano

p**ea**rl (p**e:**rl) perla

"u" seguida de "r" en sílabas acentuadas

n**u**rse (n**e:**rs)
enfermera

urgent (**é:**rshent)
urgente

occ**u**r (ek**é:**r)
ocurrir

"wor"

word (**we:**rd)
palabra

work (**we:**rk)
trabajo

world (**we:**rld)
mundo

"i" seguida de "r", en una sílaba acentuada:

f**i**rst (f**e:**rst)
primero

g**i**rl (g**e:**rl)
muchacha

b**i**rd (b**e:**rd)
pájaro

SONIDO 7

[e:]

como en **dollar**
(dá:lle:r)

[e:]

[e:] no existe en español. Es similar a **[e:]**, también ocurre delante de "r", pero solamente en sílabas no acentuadas, principalmente en el medio o al final de una palabra.

Fíjate en la pronunciación de estas palabras:

color (ká:le:r) color

water (wá:re:r) agua

Saturday (sǽre:rdei) sábado

SONIDO 7

[e:] *como en* **dollar** (dá:le:r)

El sonido [e:] lo escucharás en palabras que se escriban, por lo general, con estas letras:

"e" seguida de "r" al final o en el medio en una sílaba no acentuada

butter (báre:r)
mantequilla

never (néve:r)
nunca

teacher (tí:che:r)
maestra

"o" seguida de "r" al final o en el medio

doctor (dá:kte:r)
doctor

flavor (fléive:r)
sabor

colorful (kále:rfel)
colorido

"a" seguida de "r" al final o en el medio, en una sílaba no acentuada

vinegar (vínige:r)
vinagre

cellar (séle:r)
sótano

regularly
(régyule:rli)
regularmente

"ure" al final de una palabra

furniture
(fé:rniche:r)
muebles

picture
(píkche:r) foto

pleasure
(pléshe:r) placer

SONIDO 8

[i:]

como en **please**
(pli:z)

[i:]

[i:] es similar a la "i" acentuada en español, como en *así* y *ahí*, pero es un sonido más prolongado. Los labios están extendidos hacia los costados, y la lengua se acerca al paladar.

Fíjate en la pronunciación de estas palabras:

tea (ti:) té

we (wi:) nosotros

see (si:) ver

SONIDO 8

[i:] *como en* **please** (pli:z)

El sonido [i:] lo escucharás en palaras que se escriban, por lo general, con:

"e" al final de monosílabos

m**e** (mi:) mí
h**e** (ji:) él
sh**e** (shi:) ella

"ee"

sl**ee**p (sli:p)
dormir

thr**ee** (zri:) tres

s**ee**k (si:k) buscar

"ei"

rec**ei**ve (risí:v)
recibir

dec**ei**ve (**d**isí:v)
engañar

c**ei**ling (sí:ling)
techo

"ea"

b**ea**ch (bi:ch)
playa

s**ea**t (si:t) asiento

r**ea**son (rí:zen)
razón

"ie" y terminan con "e" silenciosa

n**ie**ce (ni:s)
sobrina

p**ie**ce (pi:s)
porción

bel**ie**ve (bilí:v)
creer

SONIDO 9

[i]

como en **six** (siks)

[i] no existe en español. Es un sonido rápido y corto. Los labios deben estar levemente separados.

Fíjate en la pronunciación de estas palabras:

is (iz) es/está

g**i**ve (giv) dar

b**ui**lding (bíl**d**ing) edificio

SONIDO 9

[i] como en **six** *(siks)*

El sonido [i] lo escucharás en palabras que se escriban, por lo general, con estas letras:

"i" seguida de una consonante

s**i**t (sit) sentarse

l**i**ve (liv) vivir

w**i**n (win) ganar

"ey" al final:

mon**ey** (máni) dinero

monk**ey** (mánki) mono

turk**ey** (te:rki) pavo

"ly" o "lly" al final

fina**lly** (fáineli) finalmente

rea**lly** (rí:eli) realmente

quick**ly** (kwíkli) rápidamente

"ui"

b**ui**ld (bil**d**) construir

g**ui**lt (gilt) culpa

g**ui**tar(gitá:r) guitarra

"try" al final, en algunos casos

coun**try** (kántri) país

pas**try** (péistri) pastelería

poul**try** (póultri) aves de corral ▶

SONIDO 9

[i] como en **six** (siks)

El sonido [i] lo escucharás en palabras que se escriban, por lo general, con estas letras:

"y" después de todas las consonantes excepto "f" (Fíjate en el sonido [ai])

intima**cy** (íntemesi) intimidad
da**ddy** (dǽdi) papito
astrolo**gy** (estrá:le**sh**i) astrología
tri**cky** (tríki) engañoso
free**ly** (fri:li) libremente
anato**my** (enǽremi) anatomía
ago**ny** (ǽgeni) agonía
tro**phy** (tróufi) trofeo

ha**ppy** (jǽpi) felíz
ve**ry** (véri) muy
clum**sy** (klámsi) torpe
pre**tty** (príri) bonito
wa**vy** (wéivi) ondulado
se**xy** (séksi) sexy
co**zy** (kóuzi) acogedor

SONIDO 9

[i] *como en* **six** (siks)

El sonido [i] lo escucharás en palabras que se escriban, por lo general, con estas letras:

"hy" en estas palabras y sus derivados

Para recordar: Esta palabra se pronuncia con [i]

w**o**m**e**n
(wímin)
mujeres

hymn (jim) himno

hypnosis
(jipnóuses)
hipnosis

hypocrisy
(jipá:kresi)
hipocresía

hysteria (jistíri:e)
histeria

[i] no se pronuncia en algunas palabras

bus**i**ness (bíznes)
negocios

fru**i**t (fru:t) fruta ▶

ju**i**ce (**sh**u:s) jugo

SONIDO 10

[o:]

como en **more**
(mo:r)

[o:]

Este sonido no existe en español. Es parecido una "o" pero más prolongado. Los labios deben estar redondeados hacia adelante, y la lengua sobre el piso de la boca.

Fíjate en la pronunciación de estas palabras:

four (fo:r) cuatro

st**o**re (sto:r) tienda

qu**a**rter (kwó:re:r) cuarto

SONIDO 10

[o:] como en **more** (mo:r)

El sonido [o:] lo escucharás en palabras que se escriban, por lo general, con estas letras:

"ore"	"oa"

shore (sho:r) costa
be**fore** (bifó:r) antes
s**ore** (so:r) dolorido

board (bo:rd) tabla
r**oa**r (ro:r) rugir
s**oa**r (so:r) aumentar
bruscamente

Tips de aprendizaje

DEFINICIONES - Monosílabo

Es una palabra que tiene una sola sílaba que va siempre acentuada. Por eso no colocaremos acento gráfico en ellos, excepto que se pronuncien con un diptongo.

send (s**e**nd)   six (siks)   why (wái)

SONIDO 11

[u:]

como en **room**
(ru:m)

[u:]

[u:] es similar a la "ú" acentuada en español, pero es más prolongado. Los labios están tensos y la lengua está cerca del paladar.

Fíjate en la pronunciación de estas palabras:

y**ou** (yu:) tú-ustedes

wh**o** (ju:) quién

bl**ue** (blu:) azul

SONIDO 11

[u:] como en **room** (ru:m)

El sonido [u:] lo escucharás en palabras que se escriban, por lo general, con estas letras:

"e" delante de "w"

fl**ew** (flu:) voló

bl**ew** (blu:) sopló

gr**ew** (gru:) creció

"oo" seguida de "l", "m" o "n"

c**oo**l (ku:l) fantástico

b**oo**t (bu:t) bota

n**oo**n (nu:n) mediodía

"o" seguida de "e" silenciosa al final

sh**oe** (shu:) zapato

wh**ose** (ju:z) de quién

l**ose** (lu:z) perder

"o" al final de algunos monosílabos

d**o** (du:) hacer

wh**o** (ju:) quién

tw**o** (tu:) dos

"u" en una sílaba acentuada en casos como estos

J**u**ne (**shu**:n) junio

r**u**de (ru:**d**) grosero

st**u**dent (stú:dent) estudiante

SONIDO 11

[u:] *como en* **room** *(ru:m)*

El sonido [u:] lo escucharás en palabras que se escriban, por lo general, con estas letras:

"u" depués de "t", "d", "n", o "s". Se pronuncia [u:] y, en menor medida, [yu:]

Tuesday (tú:zdei)
o (tyú:zdei)
martes

duty (du:ri) o
(dyú:ri) obligación

new: (nu:) o
(nyu:) nuevo

suit (su:t) o
(syú:t) traje ▶

"ue" al final

blue (blu:) azul

clue (klú:) pista ▶

avenue (ǽvenu:)
avenida

"ou"

group (gru:p)
grupo

soup (su:p) sopa

route (ru:t)
carretera

"oo" al final

taboo (tebú:)
tabú

kangaroo
(kængerú:) canguro

▼

igloo (iglú:) iglú

SONIDO 12

[u]

como en **look**
(luk)

Fíjate en la pronunciación de estas palabras:

good (**gud**) bueno

sh**ou**ld (**shud**) debería

p**u**sh (push) empujar

[u]

[u] no existe en español. Es un sonido rápido y corto. Los labios están relajados y apenas se mueven.

SONIDO 12

[u] como en **look** (luk)

El sonido [u] lo escucharás en palabras que se escriban, por lo general, con estas letras:

"oo" seguida de "d" o "k"	"ou"	"ui"
to**o**k (tuk) tomó	c**ou**ld (kud) *auxiliar* podría	cr**ui**se (kru:z) crucero
c**oo**k (kuk) cocinar		j**ui**ce (**shu**:z) jugo
b**oo**k (buk) libro	w**ou**ld (wud) *auxiliar*	fr**ui**t (fru:t) fruta
	sh**ou**ld (shud) *auxiliar* debería	

"u" seguida de "sh" en estos casos

b**ush** (bush) arbusto

p**ush** (push) empujar

c**ush**ion (kúshen) almohadón ▶

SONIDO 12

[u] *como en* **look** (luk)

El sonido [u] lo escucharás en
palabras que se escriban, por lo general,
con estas letras:

Para recordar:
"u" no se pronuncia en palabras
que se escriban con "gua",
"gue", "gui"

guard (ga:rd)
guardia

guest (gést)
huésped

guide (gáid) guía

"o" se
pronuncia [u]
en esta palabra

w**o**man
(wúmen) mujer

"u" no se pronuncia en
estas palabras

b**u**ild (bíld)
construir

b**u**y (bái)
comprar

g**u**ys (gáiz)
gente

SONIDO 13

[au]

como en **now** (náu)

[au]

[au] se pronuncia igual que las letras "au" en español, como en *Paula* y *auto*

Fíjate en la pronunciación de estas palabras:

sound (sáun**d**) sonido

how (jáu) cómo

house (jáuz) casa

SONIDO 13

[au] como en **now** (náu)

El sonido [au] lo escucharás en palabras que se escriban, por lo general, con estas letras:

"o" seguida de "u"

round (ráund)
redondo

count (káunt)
contar

about (ebáut)
sobre

"o" seguido de "w"

brown (bráun)
marrón

cow (káu) vaca

town (táun)
ciudad

Tips de aprendizaje

DEFINICIONES · Diptongo

Es la combinación de dos vocales.
En inglés existen los siguientes diptongos:

[au]   [ai]   [ei]
    [ou]   [oi]

SONIDO 14

[ai]

como en **nice** (náis)

[ai]

[ai] se
pronuncia
igual que
"ai" y "ay"
en español,
como en
caiga y *hay*.

**Fíjate en la pronunciación
de estas palabras:**

I (ái) yo

time (táim) tiempo

why (wái) por qué

SONIDO 14

[ai] *como en* **nice** *(náis)*

El sonido [ai] lo escucharás en palabras que se escriban, por lo general, con estas letras:

"i" en una sílaba que finaliza con "e" silenciosa

pr**i**c**e** (práis) precio

f**i**n**e** (fáin) bien

r**i**d**e** (ráid) paseo

"i" seguida de "gh", "ght", "ld" o "nd"

h**igh** (jái) alto

l**ight** (láit) luz

ch**ild** (cháil**d**) niño

f**ind** (fáin**d**) encontrar

"iet"

d**ie**t (dáiet) dieta

var**ie**ty (veráieri) variedad

notor**ie**ty (nouteráieri) notoriedad

"ie" en monosílabos

l**ie** (lái) mentira

d**ie** (dái) morir

p**ie** (pái) pastel ▶

"ye" en estas palabras

ry**e** (rái) centeno

by**e** (bái) adiós

dy**e** (**d**ái) teñir

SONIDO 14

[ai] como en **nice** (náis)

El sonido [ai] lo escucharás en
palabras que se escriban, por lo general,
con estas letras:

"ry" después de "c", "d", "f" y "t"

c**ry** (krái) llorar

d**ry** (drái) secar

f**ry** (frái) freir

t**ry** (trái) tratar

"y" al final de monosílabos

b**y** (bái) por

fl**y** (flái) volar

m**y** (mái) mi

"ply" y "pply" al final de una palabra

a**pply** (eplái) postularse

re**ply** (riplái) responder

su**pply** (seplái) proveer

"fy" al final de una palabra

speci**fy** (spésefai) especificar

clari**fy** (klǽrefai) aclarar

intensi**fy** (inténsefai) intensificar

"y" en "hyper", "hypo", "hydra" y "hydro"

hyperactive (jaipe:rǽktiv) hiperactivo

hypothesis (jaipá:zeses) hipótesis

carbo**hydra**te (ka:rbejáidreit) hidrato de carbono

hydroelectric (jaidrouiléktrik) hidroeléctrico

SONIDO 15

[ei]

como en **say** (séi)

Fíjate en la pronunciación de estas palabras:

la**te** (léit) tarde

e-ma**il** (ímeil) correo electrónico

pl**ay** (pléi) jugar

[ei]

[ei] se pronuncia igual que "ei" y "ey" en español, como en las palabras *aceite* y *buey*.

SONIDO 15

[ei] como en **say** (séi)

El sonido [ei] lo escucharás en
palabras que se escriban, por lo general,
con estas letras:

"a" en una sílaba que termina en "e" silenciosa:

t**a**k**e** (téik) tomar

d**a**t**e** (**d**éit) fecha

s**a**f**e** (séif) seguro

"a" seguida de "i"

m**ai**n (méin) principal

expl**ai**n (ikspléin) explicar

tr**ai**n (tréin) tren

"a" seguida de "y"

subw**ay** (s**á**bwei) subterráneo

p**ay** (péi) pagar

M**ay** (méi) mayo

"ato" y "ator" al final

pot**ato** (pet**é**irou) papa

elev**ator** (**é**leveire:r) ascensor

acceler**ator** (eks**é**le:réire:r) acelerador

"e" y "et" al final de palabras de origen francés

ball**et** (bǽlei) ballet ▶

buff**et** (beféi) bufet

gourm**et** (gúrmei) gurmet

résum**é** (r**é**zemei) curriculum vitae

SONIDO 15

*[ei] como en **say** (séi)*

El sonido [ei] lo escucharás en
palabras que se escriban, por lo general,
con estas letras:

"a" en la sílaba acentuada de palabras que terminan con "y"

lady (léidi) dama

baby (béibi) bebé

crazy (kréizi) loco

"a" en "bas"

bass (béis) bajo (instrumento)

basic (béisik) básico

baseball (béisba:l) béisbol

"eigh"

weight (wéit) peso

eight (éit) ocho

neighbor (néibe:r) vecino

"ea"

break (bréik) romper

steak (stéik) bife

great (gréit) gran

"e" seguida de "y"

they (déi) ellos

obey (oubéi) obedecer

prey (préi) presa

SONIDO 16

[ou]

como en **home**
(jóum)

[ou]

[ou] se pronununcia como "ou" en español, pero más suavemente.
Los labios están redondeados y la lengua sube hacia el paladar.

Fíjate en la pronunciación de estas palabras:

hell**o** (jelóu) hola

old (óul**d**) viejo

kn**o**w (nóu) saber

SONIDO 16

[ou] como en **home** (jóum)

El sonido [ou] lo escucharás en palabras que se escriban, por lo general, con estas letras:

"o" en una sílaba que termina en "e" silenciosa	**"o" seguida de "ld"**	**"o" seguida de "w"**

"o" en una sílaba que termina en "e" silenciosa

cl**ose** (klóuz) cerrar

ph**one** (fóun) teléfono

h**ole** (jóul) agujero

"o" al final de algunas palabras

n**o** (nóu) no

s**o** (sóu) así

g**o** (góu) ir

"o" seguida de "ld"

older (óulde:r) más viejo

s**old** (sóuld) vendido

c**old** (kóuld) frío

"oa"

abr**oa**d (ebróud) extranjero

r**oa**d (róud) camino

l**oa**n (lóun) préstamo

"o" seguida de "w"

borr**ow** (bá:rou) pedir prestado

gr**ow** (gróu) crecer

yell**ow** (yélou) amarillo

"ou"

d**ou**gh (dóu) masa

th**ou**gh (dóu) aunque

sh**ou**lder (shóulde:r) hombro

SONIDO 17

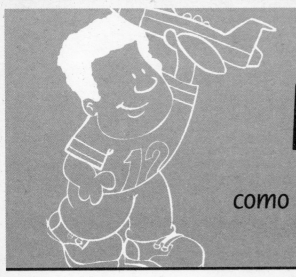

[oi]

como en **boy** (boi)

[oi]

[oi] se pronuncia igual que "oi" y "oy" en español, como en *voy* y *oigo*.

Fíjate en la pronunciación de estas palabras:

toy (tói) *juguete*

oil (óil) *aceite*

noise (nóiz) *ruido*

SONIDO 17

[oi] como en **boy** (boi)

El sonido [oi] lo escucharás en palabras que se escriban, por lo general, con estas letras:

"oi" y "oy"

◀ b**oi**l (bóil) hervir

v**oic**e (vóis) voz

enj**oy** (insh**ói**)
disfrutar ▶

Tips de aprendizaje

SIMBOLOS - El acento gráfico
El acento gráfico (´) nos indica que una sílaba es acentuada.
Recordemos que en inglés no existe el acento gráfico. Lo usamos
en este curso en la trascripción de la pronunciación de una palabra
para indicar cuál es la sílaba acentuada. Por ejemplo:
parking (pá:rking)   ago (egóu)   enjoy (insh**ói**)

SEGUNDA PARTE

Sonido de consonantes

SONIDO 18

[b]

como en **big** (big)

Fíjate en la pronunciación de estas palabras:

bed (**b**ed) cama

gra**b** (græb) agarrar

ra**bb**it (ræbit)

[b]

El sonido [b] se pronuncia de manera similar a la letra "b" después de "m" en español, como en *cambio*. Los labios deben cerrarse, y las cuerdas vocales vibran.

SONIDO 18

*[b] como en **big** (big)*

El sonido [b] lo escucharás en palabras que se escriban, por lo general, con estas letras:

"b" y "bb"

begin (bigin)
comenzar

ta**b**le (téibl)
mesa

ho**bb**y (ja:bi)
pasatiempo

Para recordar: "b" no se pronuncia en estos casos

-cuando está en la misma sílaba que [m] al final de una palabra

cli**m**b (kláim)
trepar

la**m**b (læm)
cordero

plu**m**ber (pláme:r)
plomero

- delante de "t" en estas palabras y sus derivados

de**b**t (**de**t) deuda

dou**b**t (**dáu**t) duda

su**b**tle (**sár**l) sutil

SONIDO 19

[d]

como en **day** (**d**éi)

Fíjate en la pronunciación de estas palabras:

door (**d**o:r) puerta

win**d**ow (wín**d**ou) ventana

goo**d** (gu**d**) bien

[d]

[d] se pronuncia de manera similar a la "d" en español cuando está al comienzo de una palabra, como en *decir*, después de "n", como en *mandar* o "l" como en *espalda*. La lengua presiona el borde alveolar y bloquea primero el paso del aire para dejarlo salir con fuerza después.

SONIDO 19

[d] como en **day** (**d**éi)

El sonido [d] lo escucharás en palabras que se escriban, por lo general, con estas letras:

"d" o "dd"

foo**d** (fu:**d**)
comida

we**dd**ing
(wé**di**ng) boda

dinner (**d**íne:r)
cena

Para recordar:

"d" no se pronuncia en estas palabras

We**d**nesday
(wénzdi)
miércoles

han**d**kerchief
(hænke:rchif)
pañuelo

han**d**some
(hænsem)
buenmozo

Tips de aprendizaje

DEFINICIONES · La sílaba acentuada

Es la sílaba que suena con más fuerza que las demás, y se marca con el acento gráfico.

(néim)   (wénz .**d**ei)   (vésh.te.bel)

SONIDO 20

[d]

como en **this** (dis)

Fíjate en la pronunciación de estas palabras:

there (d**e**r) allí

weather (w**é**de:r) tiempo

mother (m**á**de:r) madre

[d]

[d] no tiene un equivalente exacto en español. Es similar al sonido de la "d" en el medio de algunas palabras, como *boda* y *ruido*.

SONIDO 20

[d] *como en* **this** (dis)

El sonido [d] lo escucharás en palabras que se escriban, por lo general, con estas letras:

"th" al principio	"th" y terminen con "e" silenciosa

bathe (béid)
bañar

brea**the** (bri:d)
respirar

soo**the** (su:d)
calmar

the (de)
el-la-los-las

that (dæt)
aquel/aquella

"ther" al final

toge**ther**
(tegéde:r) juntos

o**ther** (áde:r) otro

bro**ther** (bra:de:r)
hermano

these (di:z)
estos-estas

SONIDO 21

[f]

como en fun (fan)

Fíjate en la pronunciación de estas palabras:

feel (fi:l) sentir

offer (á:fe:r) ofrecer

nephew (néfyu:) sobrino

[f] se pronuncia igual que la letra "f" en español, como en *fácil* y *fe*.

SONIDO 21

[f] como en fun (fan)

El sonido [f] lo escucharás en palabras que se escriban, por lo general, con estas letras:

"f" y "ff"	"gh" al final:	"ph":

cough (ka:f) tos

enough (ináf) suficiente

laugh (læf) reir

fish (fish) pez

before (bifó:r) antes

effect (ifékt) efecto

phone (fóun) teléfono

physical (fízikl) físico

trophy (tróufi) trofeo

Tips de aprendizaje

SIMBOLOS · Los parentesis

Los paréntesis ( ) encierran la pronunciación de una palabra. Por ejemplo:

early (é:rli)   day (déi)   you (yu:)

SIN ACENTO · 97

SONIDO 22

[g]

como en **great**
(gréit)

**Fíjate en la pronunciación
de estas palabras:**

get (g**e**t) conseguir

a**g**ree (egrí:) estar de acuerdo

fla**g** (flæg) bandera

[g]

[g] es similar al
sonido en español
de la "g" después
de "n", como en
tengo; antes de "a"
como en *ganar*; "o"
como en *gol* y "u"
como en *gusto*.

SONIDO 22

[g] como en **great** *(gréit)*

El sonido [g] lo escucharás en palabras que se escriban, por lo general, con estas letras:

"g" y "gg"

gas (g**æ**s)
gasolina

sin**g**er (sing**e**:r)
cantante

ba**g** (bæg) bolsa

"g" seguida de vocal

tar**g**et (ta:r**g**et)
objetivo

game (**g**éim) juego

give (**gi**v) dar

bin**go** (bín**g**ou)
bingo

gulf (g**a**lf) golfo

"gua" ,"gue" y "gui"

guard (ga:r**d**)
guardia

guess (g**é**s)
adivinar

guide (gái**d**) guía

SONIDO 22

[g] *como en* **great** *(gréit)*

El sonido [g] lo escucharás en
palabras que se escriban, por lo general,
con estas letras:

**"x" se
pronuncia [gz]**

ex**a**ctly (igzǽktli)
exactamente

ex**a**m (igzǽm)
examen

ex**a**mple
(igzǽmpel)
ejemplo

**Para recordar:
"g" no se pronuncia en estos casos**

**seguida de "h" al final de
una palabra**

althou**gh** (a:ldóu) aunque

throu**gh** (**z**ru:) a través

thorou**gh** (zé:rou) completo

**seguida de "n" al principio
de una palabra:**

gnocchi (nyá:ki)
ñoquis

gnome (nóum)
gnomo

gnaw (na:)
mordisquear

SONIDO 22

[g] como en **great** (gréit)

El sonido [g] lo escucharás en
palabras que se escriban, por lo general,
con estas letras:

antes de "n" al final de una palabra

fore**ign** (**fá**:ren)
extranjero

si**gn** (sáin)
firmar

desi**gn** (**d**izáin)
diseñar

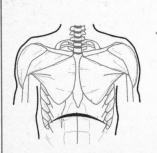

antes de "m" al final de una palabra

diaphra**gm**
(**dá**iefræm)
diafragma

paradi**gm**
(pære**d**áim)
paradigma

antes de "ht" al final de una palabra

ni**ght** (náit)
noche

li**ght** (láit) luz

brou**ght** (bra:t)
trajo

SONIDO 23

[j]

como en **hello**
(jelóu)

Fíjate en la pronunciación de estas palabras:

[j]

husband
(j**á**zben**d**)
marido

head (j**e**d) cabeza

be**h**ind (bij**á**in**d**) detrás

El símbolo [j] lo usamos aquí para representar al sonido [h] del inglés, pero [h] es mucho más suave que el sonido de la "j" en español. Se asemeja a la pronunciación de la "g" en *gente* o la "j" en *mujer*, en el español que se habla en España. El flujo de aire es continuo y las cuerdas vocales no vibran.

SONIDO 23

[j] como en **hello** *(jelóu)*

El sonido [j] lo escucharás en palabras que se escriban, por lo general, con estas letras:

"h"

hotel (joutél)
hotel

hi (jái) hola

unhappy (anjǽpi)
desdichado

Para recordar: En algunas palabras que se escriben con la letra "h", el sonido es mudo, como en español.

**Por ejemplo:
Palabras que comienzan con "h" y sus derivados:**

honor (á:ne:r)
honor

honest (á:nest)
honesto

heir (er) heredero

palabras que comienzan con "gh"

gheto (gérou)
gueto

ghost (góust)
fantasma

ghastly (gǽstli)
desagradable

SONIDO 23

[j] como en **hello** (jelóu)

El sonido [j] lo escucharás en palabras que se escriban, por lo general, con estas letras:

palabras que se escriben con "rh"	palabras que se escriben con "ex"

rhyme(ráim) rima

rhythm (rídem) ritmo

rhino (ráinou) rinoceronte

exhibition (eksebíshen) ▶ exhibición

exhausted (igzá:stid) exhausto

exhort (igzo:rt) exhortar

rhapsody (ræpsedi) rapsodia

Tips de aprendizaje

Para comunicarte mejor
La mayoría de las palabras de dos sílabas, excepto los verbos, llevan el acento en la primera sílaba:
happy (hǽpi)   **spe**cial (spéshel)
student (stú:dent)

SONIDO 24

[k]

como en **coffee**
(ká:fi)

[k] es similar, en español, al sonido de las letras "c" en *cosa* o "k" en *kilo*, pero debe pronunciarse con una aspiración cuando se encuentra al comienzo de una palabra.

Fíjate en la pronunciación de estas palabras:

cup (k**a**p) taza

key (ki:) llave

spea**k** (spi:k) *hablar*

SONIDO 24

[k] como en **coffee** (ká:fi)

El sonido [k] lo escucharás en palabras que se escriban, por lo general, con estas letras:

"c" antes de "a", "o" y "u"

carrot (kǽret)
zanahoria

cost (ka:st) costar

Customs
(kástems) aduana

"c" antes de consonante

cream (kri:m)
crema

actor (ǽkte:r)
actor

access (ǽkses)
acceso

"ch" en algunos casos

Christmas
(krísmes)
Navidad

mechanic
(mekǽnik)
mecánico

technology
(tekná:leshi)
tecnología

SONIDO 24

*[k] como en **coffee** (ká:fi)*

El sonido [k] lo escucharás en
palabras que se escriban, por lo general,
con estas letras:

"k"	"ck"	"qu"

rock (ra:k) roca

pa**ck** (pæk)
paquete

kitchen (kíchen)
cocina

la**k**e (léik) lago

ba**k**ery (béike:ri)
panadería

question
(kwéschn)
pregunta

quiet (kwáiet)
silencioso

ha**ck**er (hǽke:r)
pirata informático

query (kwiri)
pregunta

SONIDO 24

[k] *como en* **coffee** (ká:fi)

El sonido [k] lo escucharás en palabras que se escriban, por lo general, con estas letras:

"x" se pronuncia [ks]

fix (fi**ks**) reparar

e**x**it (é**ks**it) salida

bo**x** (ba:**ks)** caja

Para recordar:

"k" antes de "n" al comienzo de una palabra no se pronuncia.

knee (ni:)
rodilla

knife (náif)
cuchillo

know (nóu)
saber

Tips de aprendizaje

Para comunicarte mejor

En las frases descriptivas formadas por adjetivo + sustantivo, se acentúa el sustantivo:

a big **car**   a funny **story**   a great **job**

SONIDO 25

[l]

como en **like**
(l**á**ik)

[l] al principio o en el medio de una palabra es similar al sonido de la "l" en español, como en *luz* y *alas*.

Cuando [l] aparece al final de una palabra, la lengua debe colocarse más cerca del paladar blando que en los otros dos casos, como en *tall*.

Cuando [l] aparece en una sílaba no acentuada después de "t" o "d", se pronuncia un poco diferente del sonido español, manteniendo la punta de la lengua sobre el borde alveolar sin moverla, como en *bottle* y *riddle*.

Fíjate en la pronunciación de estas palabras:

eleven (il**é**ven) once

long (la:ng) largo

tell (t**é**l) decir

SONIDO 25

[l] *como en* **like** (láik)

El sonido [l] lo escucharás en palabras que se escriban, por lo general, con estas letras:

"l" o "ll" al principio o en el medio

leave (li:v) partir

only (óunli) solamente

allow (eláu) permitir

Para recordar: "l" no se pronuncia en estos casos: delante de "d"o"k"

walk (wa:k) caminar

talk (ta:k) conversar

could (kud) *auxiliar* podría

"l"o "ll" al final de una palabra

ball (ba:l) pelota

smell (smel) oler

fill (fil) completar

"l" en terminaciones "alf"

half (hæf) mitad

calf (kæf) pantorrilla

"l" en terminaciones "alm" puede pronunciarse de dos maneras

calm (ka:m *or* ka:lm) calmo

palm (pa:m *or* pa:lm) palma

SONIDO 26

[m]

como **man** (mæn)

[m]

[m] se pronuncia
igual que en
español, como
en las palabras
mirar y amar.

Fíjate en la pronunciación de estas palabras:

music (myú:zik) música

proble**m** (pra:blem) problema

re**mem**ber (rimémbe:r)
recordar

SONIDO 26

[m] como **man** (mæn)

**El sonido [m] lo escucharás en
palabras que se escriban, por lo general,
con estas letras:**

"m" y "mm"

menu (m**é**nyu:)
menú

mo**m**ent (móument)
momento

roo**m** (ru:m)
habitación

Tips de aprendizaje

Para comunicarte mejor

Cuando dos sustantivos se unen y forman una sola palabra,
se debe acentuar el primer sustantivo:
bookstore   **air**port   **bed**room

Lo mismo sucede cuando dos sustantivos se escriben separados, pero su
combinación es tan común que forma una frase hecha:
coffee cup   **office** building   **movie** star

SONIDO 27

[n]
como en **next**
(nékst)

[n]

[n] se pronuncia
igual que en
español, como
en las palabras
antes y nuez.

Fíjate en la pronunciación de estas palabras:

never (né**v**e:r) nunca

statio**n** (sté**i**shen) estación

mo**n**ey (má**n**i) dinero

SONIDO 27

[n] como en **next** (nékst)

El sonido [n] lo escucharás en palabras que se escriban, por lo general, con estas letras:

"n" y "nn"

Para recordar:

"n" después de "m" en la misma sílaba al final de una palabra no se pronuncia

a**mn**esia
(æmní*sh*e)
amnesia

colu**mn**
(ká:lem)
columna

◀

name (néim)
nombre

Su**n**day (sá**nd**ei)
domingo

a**nn**oy (enói)
molestar

sole**mn**
(sa:lem)
solemne

hy**mn** (jim)
himno ▶

SONIDO 27

[n] *como en* **next** *(né*kst*)*

El sonido [n] lo escucharás en palabras que se escriban, por lo general, con estas letras:

Cuando "mn" aparece en el medio de una palabra, se pronuncia

a**mn**esty (æmnesti) amnistía

inso**mn**ia (insá:mnie) insomnio

[n] en sílabas no acentuadas que comienzan con "t" o "d" se pronuncia sin mover la lengua de la posición en que está para pronunciar "t" o "d"

cot**t**o**n** (ca:rn)
algodón

mou**n**tai**n**
(máuntn)

wri**t**te**n** (ritn)
escrito

SONIDO 28

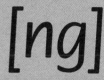

[ng]

como en **young**
(ya:ng)

Fíjate en la pronunciación de estas palabras:

thi**ng** (**z**ing) cosa

a**ng**ry (ǽngri) enojado

feeli**ng** (fi:ling) sentimiento

[ng]

[ng] es igual al sonido español de las consonantes "ng" en palabras como *mango* y *vengo*.

SONIDO 28

[ng] como en **young** (ya:ng)

El sonido [ng] lo escucharás en
palabras que se escriban, por lo general,
con estas letras:

"ng" al final:

to**ng**ue (ta:ng)
lengua

stro**ng** (stra:ng)
fuerte

bri**ng** (bring)
traer

Tips de aprendizaje

Para comunicarte mejor

Palabras que terminan con vocal con palabras que empiezan con vocal.
Si la palabra termina con "o" o ow", el sonido que las une suena
como el primer sonido de *want*.

g**o** **ou**t   Let's g**o** **ou**t for dinner
gr**ow** **o**lder   We gr**ow** **o**lder too soon.

SONIDO 29

$[p]$

como en **park**
(pa:rk)

Fíjate en la pronunciación de estas palabras:

peanut (pí:nat) maní

stop (sta:p) detener

paper (péipe:r) papel

$[p]$

[p] es similar al sonido de "p" en español en palabras como *pensar* y *limpiar*, pero se pronuncia con una aspiración cuando se encuentra al comienzo de una palabra.

SONIDO 29

*[p] como en **park** (pa:rk)*

El sonido [p] lo escucharás en palabras que se escriban, por lo general, con estas letras:

"p" y "pp"

apartment
(apá:rtment)
apartamento

party (pá:ri:)
fiesta

appear (epíe:r)
aparecer

Para recordar: "p" no se pronuncia en estos casos

pseudonym (sú:denim) seudónimo

psychology (saiká:leshi) psicología

psychopath (sáikepæz) psicópata

en estas palabras

receipt (risí:t)
recibo

cupboard
(kábe:rd) armario ▶

SONIDO 30

[r]

como en **river**
(ríve:r)

Fíjate en la pronunciación de estas palabras:

ready (**réd**i) listo

wo**rr**ied (wé:ri**d**) preocupado

fou**r** (fo:r) cuatro

[r] es diferente del sonido de "r" en español. Es un sonido mucho más suave, similar a la "r" de *pare* y *cara*. La punta de la lengua nunca debe tocar el borde alveolar, sino que se curva hacia atrás.

SONIDO 30

[r] como en **river** (ríve:r)

El sonido [r] lo escucharás en palabras que se escriban, por lo general, con estas letras:

"r" y "rr"

◄ tourist (tu:rist)
turista

near (ni:r) cerca

arrive (eráiv)
llegar ►

Tips de aprendizaje

Para comunicarte mejor
Cuando haces una afirmación, el tono de tu voz debe bajar hacia el final:

The night was **cold**   She's coming **soon**

SONIDO 31

[s]

como en **send**
(**s**end)

Fíjate en la pronunciación de estas palabras:

sauce (sa:s) salsa

cent (**c**ent) centavo

le**ss** (le**s**) menos

[s]

[s] es igual al sonido de "s" en español. Sin embargo, no debes pronunciar una "e" delante de la "s" cuando la palabra en inglés comienza con "s" + consonante.
Por ejemplo:
Spanish se pronuncia (spǽnish) y no (espǽnish)
stay se pronuncia (stéi) y no (estéi)

SONIDO 31

*[s] como en **send** (send)*

El sonido [s] lo escucharás en palabras que se escriban, por lo general, con estas letras:

"s"

sea (si:) mar

sky (skái) cielo

also (ólsou) también

"se"

house (háus) casa

mouse (máus) ratón

loose (lu:s) flojo

"ss"

glass (glæs) vaso

pass (pæs) aprobar

message (mésish) mensaje

"ci"

citizen (sírizen) ciudadano

civil (sívil) civil

acid (æsid) ácido ▶

"e"

cereal (síriel) cereal

spice (spáis) especia

device (diváis) artefacto

SONIDO 31

[s] como en **send** (se**n**d)

El sonido [s] lo escucharás en palabras que se escriban, por lo general, con estas letras:

"cy"

cybernetics
(saibe:rn**é**riks)
cibernética

bi**cy**cle (báisikl)
bicicleta

cynical (sínikl)
cínico

"sce" y "sci"

scene (si:n) escena
scent (se**n**t) aroma

science
(sáiens)
ciencia ▶

**Para recordar:
"s" no se pronuncia en
estas palabras**

ai**s**le (ail)
pasillo

i**s**land
(áile**n**d)
isla

SONIDO 32

[t]

como en **time**
(táim)

[t]

El sonido [t] es similar al sonido de la "t" en español, pero cuando se encuentra al comienzo de una palabra, debe pronunciarse con una aspiración, presionando la lengua detrás del borde alveolar. Al final de una palabra desaparece la aspiración.

Fíjate en la pronunciación de estas palabras:

tall (ta:l) alto

re**st** (re**st**) descansar

six**t**een (sikstí:n) dieciséis

SONIDO 32

[t] *como en* **time** *(táim)*

El sonido [t] lo escucharás en palabras que se escriban, por lo general, con estas letras:

"t" y "tt"

tired (táie:**rd**)
cansado

pe**t** (p**e**t)
mascota

sis**t**er (síste:r)
hermana

Para recordar:

"t" no se pronuncia en estos casos:

entre "n"y "e" en sílabas no acentuadas

in**t**erview
(íne:rvyu:)
entrevista

In**t**ernet
(íne:rnet)
Internet

in**t**ersection (íne:rsékshen)
intersección

SONIDO 32

[t] como en **time** (táim)

El sonido [t] lo escucharás en palabras que se escriban, por lo general, con estas letras:

entre dos vocales, después de una sílaba acentuada, se pronuncia muy similar a la "r" de *caro* y *pero* en español. Es un sonido muy rápido y suave

en las terminaciones "sten"

li**sten** (lísn)
escuchar

fa**sten** (fǽsn)
ajustar

ha**sten** (jéisn)
apurar

wa**t**er (wá:rer)
agua

be**tt**er (bé:rer)
mejor

ci**t**y (síri) ciudad

en las terminaciones "stle"

ca**stle** (kæsl)
castillo

whi**stle** (wísel)
silbar

wre**stle** (resl)
luchar

en esta palabra

Christmas
(krísmes)
Navidad

SONIDO 33

[v]

como en **visit** (vízit)

Fíjate en la pronunciación de estas palabras:

view (viú:) vista

mo**v**ie (mu:vi) película

lea**v**e (li:v) partir

[v]

[v] no tiene un equivalente en español, ya que normalmente "v" y "b" se pronuncian igual. Para producir este sonido, los dientes superiores deben tocar los labios inferiores, como para pronunciar la letra "f", pero en este caso, las cuerdas vocales vibran.

SONIDO 33

[v] como en **visit** *(vízit)*

El sonido [v] lo escucharás en palabras que se escriban, por lo general, con estas letras:

"v"

never (néver)
nunca

save (séiv)
ahorrar

very (véri)
muy

Tips de aprendizaje

Para comunicarte mejor

Cuando reemplazas los sustantivos (brother, parents, Tom, house, Jennifer, music) con pronombres (he, them, it, she), debes acentuar el verbo:

He **lives** with them   He **bought** it   She **likes** it

SONIDO 34

[w]

como en **week**
(wi:k)

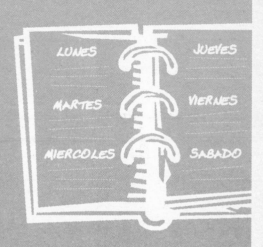

Fíjate en la pronunciación de estas palabras:

weather (wéde:r) tiempo

welcome (wélkem) bienvenido

al**w**ays (á:lweiz) siempre

[w]

[w] es similar al sonido de la letra "u" en español, como en las palabras *huella* y *huir*. Los labios deben colocarse en la misma posición que para el sonido [u], pero se abren a último momento. El sonido es continuo y las cuerdas vocales vibran.

SONIDO 34

[w] como en **week** (wi:k)

El sonido [w] lo escucharás en palabras que se escriban, por lo general, con estas letras:

"w" seguida de una vocal en la misma sílaba

win (wín) ganar

wet (wét) húmedo

a**w**ard (ewó:rd) premio

"wh"

when (wen) cuándo
what (wa:t) qué
which (wich) cuál

"o" en estos casos

one (wan) uno
some**o**ne (sámwan) alguien
any**o**ne (éniwan) alguien

"qu" en estos casos

quality (kwá:liri) calidad

quick (kwik) rápido

earth**qu**ake (é:rzkweik) terremoto

SONIDO 34

[w] como en **week** (wi:k)

El sonido [w] lo escucharás en
palabras que se escriban, por lo general,
con estas letras:

Para recordar:
"w" es silenciosa, por lo tanto no
debes pronunciarla, en estos casos:

cuando está
seguida de "r"

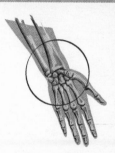

al final de una palabra:

law (la:) ley

elbow (**él**bou)
codo

snow (snóu)
nieve

wrist (ríst)
muñeca

en estas palabras:

answer (ænse:r)
respuesta

sword (so:rd)
espada

two (tu:) dos

write (ráit)
escribir

wrong (ra:ng)
equivocado

SONIDO 35

[y]

como en **yes** (yés)

[y]

El sonido [y] es similar al sonido de la "i" en *hielo*, la "y" en *yo* y la "ll" en *allí* en el español de España y México. La lengua está en la misma posición que para la letra "i" y el flujo de aire es continuo.

Fíjate en la pronunciación de estas palabras:

young (ya:ng) joven

yesterday (yéste:r**d**ei) ayer

re**g**ular (ré**g**yule:r) común

SONIDO 35

[y] *como en* **yes** (yés)

El sonido [y] lo escucharás en palabras que se escriban, por lo general, con estas letras:

"y" seguida de una vocal, al principio o en el medio

you (yu:) tú/ ustedes

yet (y**e**t) todavía

ma**y**or (m**é**ye:r) alcalde

"ia" y "io"

bill**io**n (bílyen)
billón

famil**ia**r
(femílye:r)
familiar

on**io**n (ányen)
cebolla

"u" depués de "t", "d", "n", o "s" se pronuncia [u:] y, en menor medida, [yu:]

Tuesday (tú:zdei)
o (tyú:zdei)
martes

duty (du:ri) o
(dyú:ri) obligación

new: (nu:) o
(nyu:) nuevo

suit (su:t) o
(syú:t) traje

"u"

m**u**sic (myu:zik) música

united (yunáired) unidos

university (yu:nv**é:**rsiri)
universidad

SONIDO 36

[z]

como en **zoo** (zu:)

[z]

[z] no tiene un equivalente exacto en español. Es un sonido vibrante, similar al sonido de las abejas (ZZZZZZZ). Los labios deben colocarse en la misma posición que para pronunciar [s], pero si lo pronuncias correctamente, las cuerdas vocales deben vibrar.

Fíjate en la pronunciación de estas palabras:

zero (zírou) cero

u**s**e (yu:z) usar

i**s** (iz) es/está

SONIDO 36

[z] como en **zoo** *(zu:)*

El sonido [z] lo escucharás en palabras que se escriban, por lo general, con estas letras:

"s" entre vocales en una sílaba acentuada	"s" y "se" al final	"s" seguida de "m" al final de una palabra
	has (jæz) tiene	activism (æktivizem) activismo
	those (dóuz) aquellos	
	news (nu:z) noticias	modernism (má:de:rnizem) modernismo

busy (bízi) ocupado		favoritism (féiveritizem) favoritismo
deserve (dizé:rv) merecer		"z"
easy (i:zi) fácil	dozen (dázen) docena	
	Brazil (brezíl) Brasil	
	jazz (shæz) jazz ▶	

SONIDO 36

[z] como en **zoo** (zu:)

El sonido [z] lo escucharás en palabras que se escriban, por lo general, con estas letras:

"x" al principio. Esta pronunciación ocurre en muy pocas palabras:

xylophone (záilefoun)
xilofón

xerox (z**é**ra:ks)
fotocopiar

xenophobia
(zenefóubie) xenofobia

Tips de aprendizaje

Para comunicarte mejor
La "s" en español suena siempre igual. En inglés, "s" suena
como [z] cuando sigue a una consonante sonora o a una vocal.
Por lo tanto, estas palabras muy comunes se deben
pronunciar con [z]:

is (iz)   was (w**az**)   has (jæz /jez)   does (**d**æz/**d**ez)

SONIDO 37

[z]

como en **think**
(zink)

Fíjate en la pronunciación de estas palabras:

thank (**z**ænk) *agradecer*

bir**th**day
(bé:r**zd**ei)
cumpleaños

heal**th** (jél**z**) *salud*

[z]

El sonido [**z**] se pronuncia de manera similar a la letra "z" o "c" en algunas variedades del español, por ejemplo en las palabras *hace* o *zona*, en el español hablado en España. La lengua debe ubicarse entre los dientes y las cuerdas vocales no vibran.

SONIDO 37

[z] como en **think** (zink)

El sonido [z] lo escucharás en palabras que se escriban, por lo general, con estas letras:

"th" al principio o en el medio	"th" al final de una palabra	"th" seguido de "r"
 **thi**rd (**ze:**rd) tercero	 pa**th** (pæ**z**) sendero	 **thr**ee: (**zr**i:) tres
 **th**ought (**za:**t) pensamiento no**th**ing (ná**z**ing) nada	 bo**th** (bóu**z**) ambos tru**th** (tru:**z**) verdad	 **thr**ow (**zr**óu) lanzar **thr**ough (**zr**u:) a través

SONIDO 38

[sh]

como en **show**
(shóu)

Fíjate en la pronunciación de estas palabras:

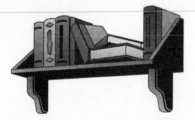

shelf (sh**e**lf) estante

shopping (shá:ping) compras

Spani**sh** (sp**æ**nish) español

[sh]

[sh] no existe en español, pero puede lograrse pronunciando "shhh", como cuando queremos que alguien haga silencio.

SONIDO 38

*[sh] como en **show** (shóu)*

El sonido [sh] lo escucharás en palabras que se escriban, por lo general, con estas letras:

"sh"

she (shi:) ella
shoe (shu:) zapato

wa**sh** (wa:sh)
lavar

"sur" en estos casos

in**sur**ance (inshó:rens) seguro

sure (sho:r) seguro

a**ssur**e (ashé:r) aseguar

"sug" en este caso

sugar
(shúge:r)
azúcar

"ssion" al final

profe**ssion**
(preféshn)
profesión

mi**ssion** (míshn)
misión

depre**ssion**
(dipréshn)
depresión

"tion"

destina**tion**
(destinéishn)
destino

immigra**tion**
(imigréishn)
inmigración

fic**tion** (fíkshn)
ficción

SONIDO 38

[sh] *como en* **show** *(shóu)*

El sonido [sh] lo escucharás en
palabras que se escriban, por lo general,
con estas letras:

"tious"

infec**tious**:
(inf**é**kshes)
infeccioso

ficti**tious**:
(fikt**í**shes)
ficticio

nutri**tious**:
(nu:tr**í**shes)
nutritivo

"ch" en palabras de origen francés

chauffeur
(shouf**é:**r) chofer

champagne
(sh**æ**mp**é**in) ▶
champán

ma**ch**ine (mesh**í:**n)
máquina

◀ **ch**ef (sh**e**f) chef

mousta**ch**e
(mest**á:**sh) bigotes

bro**ch**ure
(bresh**ú:**r) folleto

"ss"

permi**ss**ion (perm**í**shn) permiso

i**ss**ue (**í**shu:) asunto

profe**ss**ion (pref**é**shn) profesión

SONIDO 38

[sh] *como en* **show** *(shóu)*

El sonido [sh] lo escucharás en palabras que se escriban, por lo general, con estas letras:

"cial"

spe**cial** (sp**é**shel)
especial

commer**cial**
(kem**é:**rshel)
comercial

superfi**cial**
(su:perfíshel)
superficial

"cian"

techni**cian**
(tekníshn) técnico

electri**cian**
(elektríshn)
electricista

pediatri**cian**
(pi:dietríshn)
pediatra

"cious"

suspi**cious**
(sespíshes)
sospechoso

cons**cious**
(ká:nshes)
conciente

deli**cious**
(delíshes)
delicioso

SONIDO 38

[sh] como en **show** *(shóu)*

El sonido [sh] lo escucharás en palabras que se escriban, por lo general, con estas letras:

"cient"	"ish"	"tial"

efficient** (ifíshent) eficiente

ancient** (éinshent) antiguo

sufficient** (sefíshent) suficiente

childish** (cháildish) infantil

reddish** (rédish) rojizo

British** (brírish) británico

initial** (iníshel) inicial

potential** (peténshel) potencial

essential** (isénshel) esencial

SONIDO 39

[sh]
como en **John**
(**sh**a:n)

[sh]

El sonido [sh] no es común en español. La punta de la lengua debe presionarse firmemente detrás de los dientes frontales superiores. Puedes pronunciarlo agregando una "d" delante del sonido de la letra "y" como se pronuncia en Argentina y Uruguay en palabras como *yo* y *llamo*.

Fíjate en la pronunciación de estas palabras:

joke (**sh**óuk) broma

ma**g**ic (mǽ**sh**ik) magia

large (la:r**sh**) grande

SONIDO 39

[**sh**] *como en* **John** (**sh**a:n)

El sonido [sh] lo escucharás en
palabras que se escriban, por lo general,
con estas letras:

"j"

January
(**sh**ǽny:ueri) enero

join (**sh**oin) unir

ob**j**ect (a:b**sh**ikt)
objeto

"g" delante de "e", "i" y "y"

an**g**el (éin**sh**el)
ángel

gin (**sh**in) gin

gym (**sh**im)
gimnasia

"g" antes de "e" silenciosa al final.

a**ge** (éi**sh**) edad

sta**ge** (stéi**sh**)
escenario

marria**ge** (méri**sh**)
matrimonio

"dg"

bri**dge** (bri**sh**)
puente

fu**dge** (fa:**sh**)
masa de chocolate

we**dge** (we**sh**)
cuña

"logi" y "logy"

logical (lá:**sh**ikel)
lógico

apo**logy**
(epá:le**sh**i)
disculpa

cardio**logy**
(ka:rdi:a:le**sh**i)
cardiología

SONIDO 40

[sh]

como en **usual**
(yú:*sh*uel)

[*sh*]

[*sh*] no es un sonido común en español. Se asemeja al sonido "y" en la palabra "playa" como se pronuncia en Argentina y Uruguay, pero las cuerdas vocales deben vibrar más cuando lo pronuncias.

Fíjate en la pronunciación de estas palabras:

plea**s**ure (plé*she*:r) placer

televi**s**ion (télevi*shen*) televisión

massa**ge** (mesá*sh*) masaje

SONIDO 40

[sh] como en **usual** (yú:*sh*uel)

El sonido [sh] lo escucharás en palabras que se escriban, por lo general, con estas letras:

"ge" en palabras de origén francés

◄ **rouge** (ru:*sh*)
lápiz labial

beige (bé*sh*)
beige

"sual"

"sion"

vision (ví*sh*en)
visión

decision
(disí*sh*en)
decisión

occasion
(ekéi*sh*en) ocasión

"sure" al final

treasure (tré*sh*e:r)
tesoro

measure(mé*sh*e:r)
medida

pleasure
(plé*sh*e:r) placer

casual (kǽ*sh*uel)
informal

usually
(yú:*sh*ueli)
usualmente

unusual
(**a**nyú:*sh*uel)
inusual

SONIDO 41

[ch]

como en **cheese**
(chi:z)

[ch]

[ch] es similar
al sonidod de
"ch" en español,
como en *hacha*
y *ancho*.

Fíjate en la pronunciación
de estas palabras:

chocolate (chá:klet) chocolate

chance (chæns) oportunidad

bea**ch** (bi:ch) playa

SONIDO 41

[ch] como en **cheese** *(chi:z)*

El sonido [ch] lo escucharás en palabras que se escriban, por lo general, con estas letras:

"ch"	"tch"	"t" en terminaciones "ture"

pic**ture** (píkche:r)
fotografía

"ch"

mu**ch** (m**a**ch)
mucho

change (chéin**sh**)
cambio

a**ch**ieve (echi:v)
lograr

"tch"

ki**tch**en (kíchen)
cocina

bu**tch**er (buche:r)
carnicero

ma**tch** (mæch)
partido

"t" en terminaciones "ture"

furni**ture**
(fé:rniche:r)
muebles

na**ture** (néiche:r)
naturaleza

**Para recordar:
"ch" no se pronuncia en
esta palabra:**

ya**ch**t
(ya:t)
yate

ENTONACIÓN

¿Cómo puedo mejorar mi acento?

ENTONACIÓN

Todos hemos imitado alguna vez la manera en que hablan, por ejemplo, los franceses o los japoneses. Cuando hacemos esas imitaciones, estamos imitando ni más ni menos que la entonación, es decir, la "música" de esos idiomas. Normalmente, tendemos a trasladar la "música" de nuestro idioma materno al idioma que estamos aprendiendo: por eso hablamos inglés con acento español.

Para lograr hablar inglés con el acento adecuado, debemos comenzar por conocer y aplicar algunas reglas que nos ayudarán, con mucha práctica y paciencia, a mejorar nuestro acento y a entender mejor a los americanos nativos.

Los elementos que forman la entonación son:

1- La acentuación de las sílabas en una palabra
2- La acentuación de palabras en una frase
3- El tono de voz
4- La conexión entre palabras
5- La reducción de sonidos

ENTONACIÓN

1- ¿Qué sílaba debes acentuar en una palabra?

Acentuación de sílabas

Debemos diferenciar acento (*accent*), que es el conjunto de características que distinguen a un idioma de otro, de acentuación (*stress*), que se refiere a las sílabas o palabras que se pronuncian con más fuerza.

Acentuar de manera correcta las sílabas y palabras es tanto o más importante que usar los sonidos adecuados, y todo en conjunto contribuye a mejorar nuestro acento.

Todas las palabras tienen una sílaba que se pronuncia con más fuerza: es la sílaba acentuada. La fuerza recae siempre sobre una vocal, que al estar acentuada tiene un sonido más largo y sostenido.

Lee estas palabras en voz alta y pronuncia con más fuerza la sílaba acentuada, que está en negrita:

people (pí:pel)
flower (fláue:r)
be**tween** (bitw:ín)

ENTONACIÓN

¿Cómo saber en qué silaba va acentuada una palabra que no has escuchado nunca? Lee estas reglas:

- La mayoría de las palabras de dos sílabas, excepto los verbos, llevan el acento en la primera sílaba:

happy (hǽpi)

special (spéshel)

student (stú:dent)

- Los verbos de dos sílabas se acentúan, generalmente, en la segunda sílaba:

for**get** (fergét)

be**gin** (bigín)

in**vite** (inváit)

- Las palabras que tienen estas terminaciones se acentúan, por lo general, en la vocal anterior a dichas terminaciones:

"sion": per**mi**ssion, oppo**si**tion

"tion": des**crip**tion, infor**ma**tion

"ic": fan**tas**tic, e**lec**tric

ENTONACIÓN

"omy": ec**on**omy, as**tron**omy

"ogy": tech**no**logy, ec**ol**ogy

"ery": **surg**ery, **nurs**ery

"edy": **com**edy, **trag**edy

"istry": **chem**istry, **tap**estry

"ity": **qual**ity, sim**plic**ity

- -

- Cuando dos sustantivos se unen y forman una sola palabra, se debe acentuar el primer sustantivo:

bookstore

airport

bedroom

- -

- Lo mismo sucede cuando dos sustantivos se escriben separados, pero su combinación es tan común que forma una frase hecha:

coffee cup

office building

movie star

ENTONACIÓN

- En las frases descriptivas formadas por adjetivo + sustantivo, se acentúa el sustantivo:

a big **car**

a funny **story**

a great **job**

- -

- Cuando la combinacion de adjetivo + sustantivo forma una frase hecha, se acentúa el adjetivo:

The **White** House

blue jeans

goldfish

- -

- Las frases verbales (phrasal verbs) son muy comunes en inglés. Las preposiciones que los forman deben acentuarse:

put **on**	Put **on** your shoes
take **off**	The plane is taking **off**
get **up**	I get **up** at eight every day

ENTONACIÓN

2- Acentuación de palabras en una frase

Hasta aquí hemos hablado de palabras. Combinemos ahora las palabras para formar frases y oraciones.

Cuando hablamos, acentuamos determinadas palabras y pronunciamos otras con menos fuerza. Esto se debe a un patrón de acentuación que tiene cada idioma y a nuestra decisión de enfatizar ciertas palabras porque queremos darle a nuestra frase un sentido especial.

Como todos los idiomas, el inglés americano tiene una "música" distintiva que irás asimilando con el tiempo. En una primera etapa, lo importante es que comiences a entender e identificar ciertas reglas que definen esa entonación, para entender mejor cuando habla un nativo. Y luego, de a poco, comenzarás a asimilar y reproducir dicha música.

El inglés americano tiene un ritmo fluido, continuo, como el de las olas del mar, con

ENTONACIÓN

momentos más altos (palabras acentuadas) y más bajos (palabras no acentuadas). Fíjate en estos ejemplos:

George traveled with his **sister**

He **traveled** with her

Como te habrás dado cuenta, las palabras que están resaltadas se pronuncian con más fuerza que las demás.

¿Cómo saber qué palabras acentuar, es decir, qué palabras se encuentran en la cresta de la ola, y cuáles no?

Veamos estas reglas:

- Los sustantivos (car), verbos (live), adjetivos (beautiful), adverbios (really) y palabras interrogativas (who) generalmente **se acentúan.**

- Los pronombres (he), preposiciones (in), artículos (the), verbo "to be" (is), conjunciones (and) y auxiliares (does) generalmente **no se acentúan.**

ENTONACIÓN

- Cuando dices algo por primera vez, es decir, introduces información nueva, debes acentuar los sustantivos:

> My **brother** lives with my **parents**
>
> **Tom** bought a **house**
>
> **Jennifer** loves **music**

- -

- Cuando reemplazas los sustantivos (brother, parents, Tom, house, Jennifer, music) con pronombres (he, them, it, she), debes acentuar el verbo:

> He **lives** with them
>
> He **bought** it
>
> She **likes** it

- -

- También puedes acentuar palabras cuando quieres indicar contraste:

> I **love** swimming, but I **prefer** skating

ENTONACIÓN

La acentuación cambia por completo el sentido de una frase. Acentúa las palabras según el significado que quieras darle a una frase. Recuerda que no solo es importante lo que dices, sino cómo lo dices. Estas oraciones tienen las mismas palabras, pero según donde las acentúes, variará el significado:

She didn't see the accident

Ella no lo vio, pero puede haberlo visto otra persona.

She **didn't** see the accident

Ella no vio el accidente, es un hecho.

She didn't **see** the accident

Ella no vio el accidente, solo escuchó el impacto.

She didn't see the **accident**

Ella no vio el accidente, se acercó cuando ya había sucedido.

ENTONACIÓN

3- El tono de voz

Hablemos ahora del tono de voz. ¿Qué tono debes usar?

- Cuando haces una afirmación, el tono de tu voz debe bajar hacia el final:

The night was **cold** ▼

She's coming **soon** ▼

- -

- Cuando haces una pregunta, se pueden dar algunos de estos casos:

a- Si usas una palaba interrogativa como *what, who, when*, etc. el tono de voz debe bajar al final:

Who's **that girl**? ▼

What are you **doing?** ▼

ENTONACIÓN

b- Si no usas palabra interrogativa, el tono debe subir:

> Are you **sure?** ▲
>
> Do you know **her?** ▲

- -

c- En preguntas cortas al final de una oración, si quieres obtener información, el tono debe subir:

> They're American, **aren't they?** ▲
> Your sister lives in San Francisco, **doesn't she?** ▲

- -

d- Si, en cambio, solo quieres confirmar algo que piensas que es verdad, el tono debe bajar:

Look at those clouds. It's going to rain, **isn't it?** ▼

She looks so tired. She's working a lot, **isn't she?** ▼

ENTONACIÓN

4- Conexión entre las palabras

¿Qué otro secreto puedo aprender para mejorar mi acento? ¡Une las palabras!

1- No hables palabra por palabra, sino júntalas para formar grupos de sonidos. Esto te ayudará a que hables más fluido.

En español no dices:

Leí   un   libro   interesante

sino

Leíunlibrointeresante

Cuando hablas en español también juntas los sonidos, solo que no prestas atención porque lo haces instintivamente.

Ahora lee esta oración en inglés separando las palabras y luego, juntándolas.

I   read   an   interesting   book

Ireadaninterestingbook

ENTONACIÓN

Suena mucho mejor, ¿verdad? Pues bien, este es otro ejercicio que debes practicar a diario para hablar como un nativo.

¿Cómo puedo conectar las palabras?

Fíjate en estos ejemplos:

- Palabras que terminan en consonante con palabras que comienzan con vocal:

turn on	Turn on the radio
come in	Come in, please
an architect	He's an architect

- Palabras que terminan con el mismo sonido de consonante. En este caso no debes pronunciar dos veces el sonido repetido sino alargar el primer sonido:

real love

make cakes

help people

ENTONACIÓN

- Palabras que terminan con vocal con palabras que empiezan con vocal.

Si la palabra termina con "o" o ow", el sonido que las une suena como el primer sonido de *want*.

g**o ou**t	Let's g**o ou**t for dinner
gr**ow o**lder	We gr**ow o**lder too soon.

Si la palabra termina con "e" o "y", el sonido que las une suena como el primer sonido de *yes:*

The**y a**gree	The**y a**gree on the conditions.
Sa**y i**t	Sa**y i**t louder.

- -

- [t] y [d] seguidos de [y] se pronuncian [ch]:

Can**'t y**ou? (kǽnchu:?)	Can**'t y**ou stay?
Don**'t y**ou? (dóunchu:)	Don**'t y**ou hate it?
Didn**'t y**ou? (dídnchu:)	Didn**'t y**ou tell her?
Wouldn**'t y**ou? (wúdnchu:)	Wouldn**'t y**ou like it?

ENTONACIÓN

- [d] seguido de [y] se pronuncia [**sh**]:

Did you? (díshu:)   Did you see her?

Could you? (kúshu:)   Could you ask him?

- -

- Cuando *the* está seguido por una vocal, se pronuncia [di:]:

the end (di:end)

the other (diá:de:r)

ENTONACIÓN

5- Reducción de sonidos

De la misma manera en que existen palabras que se acentúan, hay otras que son más débiles y se reducen hasta volverse imperceptibles. Veamos algunos de los casos más comunes:

- -

- La preposición "to" después de verbos como "want to" y "going to" se reduce tanto que el sonido [t] desaparece:

I want **to**	suena como	I wanna
I want **to** go	suena como	I wanna go
I'm going **to**	suena como	I'm gonna
I'm going **to** travel	suena como	I'm gonna travel

- -

- En el pasado simple, [t] en *want to* se transforma en un sonido [d] muy suave, o incluso puede desaparecer.

I wanted **to** go	suena como	I wanded go / I waned go
I wanted **to** stay	suena como	I wanded stay / I waned stay

ENTONACIÓN

En estos tres casos no es necesario que intentes pronunciar la forma reducida, pero sí debes saber qué sucede con los sonidos para entender mejor a los hablantes nativos.

- La "t" entre vocales en sílabas no acentuadas se reduce y suena como una "r" muy suave:

water (wa:re:r)

better (bé:re:r)

city (síri)

later (léire:r)

- La "t" silenciosa después de "n". Ambas letras se articulan tan cerca en la boca, que la "n" reduce totalmente el sonido de la "t" posterior:

Internet (íne:rnet)

twenty (twéni)

advantage (advǽnish)

ENTONACIÓN

- *And* es una de las palabras más comunes del inglés, que se reduce hasta transformarse en "en" o simplemente "n".

Men and women	suena como	men "**en**" women

peanut butter and jelly	suena como	peanut butter "**n**" jelly

Si necesitas enfatizarla, deberás pronunciarla sin reducción:

cream **and** sugar

- -

- *Can* y *can't*:
Cuando *Can* aparece en una oración afirmativa o interrogativa al lado del verbo, la vocal se transforma en [e]:

I **can** speak English (ái ken spi:k ínglish)
Can you swim? (ken yu: swim?)

ENTONACIÓN

Cuando la oración es negativa en cambio, debes pronunciar "can" con el sonido completo [æ]:

> I **can't** speak English (ai kǽnt spi:k ínglish)
>
> **Can't** you see? (kǽn chu si:)

- -

- La "h" silenciosa:

La pronunciación de los pronombres por lo general se reduce. Palabras como *he, him, he* y *his* pierden el sonido inicial [j] después de un verbo o un auxiliar:

> Did **h**e come? (didi k**a**m?)
>
> Give **h**im the keys (givim de ki:z)
>
> Is **h**e busy (izi bizi?)

- -

- Las preposiciones cortas (to, at, for, from, etc.) se reducen, excepto en algunos casos cuando se usan al final de una oración:

I gave it to his wife   I'm at the restaurant

     (te)   (et)

ENTONACIÓN

This is for you.   I'm from Venezuela
(fer)   (frem)

What is this for?
(fo:r) – final de oración.

- La mayoría de las vocales en sílabas no acentuadas se pronuncian con el sonido *schwa* [e] y, en menor medida [i]. Estos sonidos reducidos tienen una función muy importante en la entonación.

banana (benǽne)

kitchen (kíchen)

woman(wúmen)

- También hay palabras en las que directamente no se pronuncia un sonido:

every (évri)

family (fǽmli)

history (hístri)

ENTONACIÓN

- Las contracciones son una parte usual del inglés hablado y debes siempre preferirla a la forma completa, excepto en los casos en que debas pronunciarlas por énfasis:

Fíjate cómo se pronuncian las contracciones más comunes:

I am _____	I'm _____	(áim)
you are _____	you're _____	(yu:er)
she is _____	she's _____	(shi:z)
he is _____	he's _____	(hi:z)
it is _____	it's _____	(its)
we are _____	we're _____	(wi:r)
they are _____	they're _____	(déir)
that is _____	that's _____	(dæts/dets)
I would _____	I'd _____	(áid)
I have _____	I've _____	(áiv)
I will _____	I'll _____	(áil)
who is _____	who's _____	(ju:z)
cannot _____	can't _____	(kǽnt)
How are _____	How're _____	(jáur)
How is _____	How's _____	(jáuz)

CONSEJOS PRÁCTICOS PARA LOS HABLANTES DE ESPAÑOL

CONSEJOS PRÁCTICOS

Recuerda estos puntos esenciales para mejorar tu acento.

-Cuando una vocal está delante de [p], [t], [k], [b], [d] o [g] su sonido es más corto que cuando está delante de cualquier otro sonido. Fíjate en estos ejemplos:

whi**te**	why	wea**k**
we	kee**p**	key

- -

-No agregues una "e" delante de la "s" al principio de una palabra. Pronuncia *stop* y no *estop*.

- -

-La "s" en español suena siempre igual. En inglés, "s" suena como [z] cuando sigue a una consonante sonora o a una vocal. Por lo tanto, estas palabras muy comunes se deben pronunciar con [z]:

is (iz)	was (w**a**z)
has (jæz /jez)	does (**d**æz/**d**ez)

CONSEJOS PRÁCTICOS

-La mayoría de las palabras escritas con "o" seguida de consonante, "all", "aw" , "aught" y "ought" se pronuncian con el sonido [a:], equivalente en español a la letra "a".

hot   office   call   lawn
caught   thought

- -

-Las letras "b" y "v" se pronuncian de manera muy diferente en inglés. Si no la pronuncias bien, en vez de decir

bowel (intestino)   dirás   vowel (vocal)
base (base)   dirás   vase (florero)

- -

-El sonido de la letra "r" en inglés es mucho más suave que en español. Tu lengua no debe tocar el paladar, sino que se curva hacia atrás. Es similar al sonido de la "r" en las palabras *cara* y *pero*. La pronunciación no cambia si la palabra se escribe con "r" o "rr":

sorry   very   ready

CONSEJOS PRÁCTICOS

-Pronunciar el pasado de los verbos regulares puede resultarte difícil. Por ejemplo, seguramente tendrás problemas para pronunciar *worked, stopped, decided* y *rented.* Si aprendes esta regla, este no será ya un problema para ti:

Si el verbo termina en un sonido sonoro, debes pronunciarlo agregando [d].

sta**y**	sta**yed** (stéi**d**)
ca**ll**	ca**lled** (ka:l**d**)

Si el verbo termina en un sonido sordo, debes agregar "t"

sto**p**	sto**pped** (sta:pt)
wal**k**	wal**ked** (wa:kt)

Si el verbo termina en "t" o "d" se pronuncia [ed]:

ren**t**	ren**ted** (rénted)
deci**de**	deci**ded** (**disáided**)

CONSEJOS PRÁCTICOS

-Las palabras que terminan en [sh], [**sh**], [s], [z], [ch] y [ks] agregan una sílaba para formar el plural si son sustantivos o la tercera persona del singular si son verbos.

sustantivo	verbo
sing. pl.	inf. 3°pers. sing.

rose: roses	rise: rises
surprise: surprises	advise: advises
match: matches	watch: watches
mix: mixes	fix: fixes
dish: dishes	wash: washes

- -

- El sonido [d] como en *they* debes diferenciarlo del sonido [**d**] como en *day*. [d] es un sonido muy suave, parecido al sonido de la "d" en español, como en *cada* y *red*.

there   mo**th**er   ano**th**er

CONSEJOS PRÁCTICOS

- Debes diferenciar los sonidos [**sh**] como en John y [sh] como en Sharon.

[sh] es el sonido que haces cuando le pides a alguien que se calle: shhhhhhhhhh.

Lee estos ejemplos:

shut (sh**a**t)
show (shóu)
ca**sh** (kǽsh)

En cambio el sonido [**sh**] es un sonido que no es común en español, y que algunos hablantes pueden imitar agregando una "d" delante de "y" en palabras como "yo" o "llevar" según se pronuncia en Argentina y Uruguay.

June (shu:n)
job (sha:b)
jeans (shi:nz)

CONSEJOS PRÁCTICOS

- El sonido [u] es un sonido corto que no existe en español.

No debes confundirlo con el sonido de la letra "u" en, por ejemplo, *uno* y *dueño*.

Si no pronuncias bien este sonido,

	[u]		[u:]
	should (debería)		shoot (disparar)
en vez de decir	food (comida)	dirás	foot (pie)
	full (lleno)		fool (tonto)

CONSEJOS PRÁCTICOS

- El sonido [i] es un sonido corto que no existe en español.

No debes confundirlo con [i:] que es más parecido a nuestra "i".

Si no pronuncias bien este sonido,

	[i]		[i:]
	bit (poco)		beat (golpear)
en vez de decir	fit (adecuado)	dirás	feet (pie)
	knit (tejer)		neat (prolijo)

CONSEJOS PRÁCTICOS

- El sonido [l] al final de una palabra es mucho más largo en inglés. Se parece al sonido de "l" en la palabra "mal".

fee**l** ca**ll** ta**ll**

- -

- La "h" en inglés no es, en la mayoría de los casos, muda como en español, y su sonido no tiene un equivalente exacto. Generalmente se lo pronuncia como la letra "j", pero es un sonido mucho más suave, y se debe pronunciar con una aspiración.

house   **h**ire   a**h**ead

- -

- El sonido [sh] no tiene en español un equivalente exacto. Es similar a la "y" en "raya" , pero es más   vibrante.

plea**sure** (pl**é***she*:r)
mea**sure** (m**é***she*:r)
trea**sure** (tr**é***she*:r)

CONSEJOS PRÁCTICOS

- Mejorar el acento es una cuestión de práctica y tiempo. En el proceso hay muchos factores que pueden ayudarte.

Escucha las diferentes secciones de *Habla sin acento* todas las veces que sea necesario hasta incorporar las reglas y los sonidos.

Trata de evitar hablar inglés con acento español. Escúchate, identifica tus errores y trabaja sobre tus dificultades.

Une las palabras cuando hablas, para que fluyan y le den ritmo a tu discurso.

CONSEJOS PRÁCTICOS

Habla todas las veces que puedas con nativos, y presta atención a su entonación.

Mira la televisión, sobre todo los programas de noticias.

Escucha la radio.

CONSEJOS PRÁCTICOS

Escucha música en inglés, apréndete las letras y cántalas.

Mira una película que te guste mucho varias veces, prestando atención a los diálogos. Repite las frases que te resulten interesantes imitando la entonación.

NOTAS

NOTAS